Emma veut noter des évènements sur
son calendrier. Quand auront-ils lieu?

1

Quand aura lieu l'anniversaire d'Emma?
Son anniversaire correspond à sa
date de naissance.

Quand va-t-on voir le médecin?
On va voir le médecin quand on est malade.

Quand Emma a-t-elle ses cours de piano?
Ce mois-ci, les cours ont lieu le samedi.

Quand aura lieu le prochain voyage?
Cette année, Emma ira à la plage en juillet.

Quand fête-t-on l'Halloween?
L'Halloween se fête toujours le 31 octobre.

Quand aura lieu la fête de Noël ?
Noël se fête toujours le 25 décembre.

Emma a inscrit tous les évènements
sur son calendrier. Et toi, quelle est
ta date d'anniversaire?

Questions sur le texte:

Quand va-t-on voir le médecin?

Quand aura lieu le prochain voyage?

Quand fête-t-on l'Halloween?

Quand aura lieu la fête de Noël?

Apprendre à lire avec Bidule, Elliot et Emma!

Cette collection permet au lecteur débutant de connaître rapidement du succès en lecture et d'en tirer un grand plaisir.

Niveau B

- De 1 à 2 phrases par page
- De 4 à 9 mots par phrase
- Structure de phrase simple et légèrement répétitive
- Courte histoire

- Une phrase par page
- De 3 à 8 mots par phrase
- Structure de phrase simple et répétitive
- Vocabulaire simple

- De 2 à 3 phrases par page
- De 4 à 10 mots par phrase
- Structure de phrase plus complexe
- Histoire un peu plus longue

ISBN 978-2-89630-418-9

www.passetemps.com/bidule